Des secrets d'enfance, parfois des blessures...

Les secrets d'enfance, « des secrets qui font grandir »... Qui n'en a pas ? Celui de Georgia, vous le découvrirez bientôt.
Des secrets qui hantent leur passé, les enfants accueillis par SOS Villages d'Enfants en ont aussi et ils sont souvent lourds à porter. Mais les équipes de l'association sont là pour les aider à vivre avec cette part d'ombre, et aussi à retrouver, au sein des villages SOS, une vraie enfance, une enfance heureuse. C'est grâce à l'attention et l'affection que leur portent les mères SOS et tous les adultes qui les accompagnent au quotidien que cette réussite est possible.
Mon secret d'enfance aussi était lourd à porter. C'est ce qui fait, sans doute, que je me suis immédiatement sentie tellement proche de l'association SOS Villages d'Enfants. Et que je comprends si bien la mission qu'elle s'est donnée auprès d'enfants qui ne vivent plus avec leurs parents et à qui elle offre la chance de grandir entourés de l'affection de leurs frères et sœurs et de leur mère SOS.
Ce sont ces liens d'attachement qui permettent aux enfants de faire un jour « chanter leurs rêves » et qui donnent tout son sens à l'action de SOS Villages d'Enfants dont je suis fière d'être la marraine depuis plus de 20 ans.
Qu'ajouter à cela, sinon évoquer le réel plaisir artistique que j'ai éprouvé à travailler avec la troupe talentueuse de Georgia, un conte dont je vous invite à partager la magie...

Anny Duperey

Pour que frères et sœurs partagent
la même enfance - www.sosve.org

Timothée de Fombelle • Benjamin Chaud
Ensemble Contraste

GALLIMARD JEUNESSE MUSIQUE

1

*Écoutez-moi. Je vais vous raconter un secret.
Vous voyez mon nom écrit en grand sur les disques
et sur les murs. Georgia... Sur les théâtres avec des lettres
de lumière. Tout le monde croit connaître Georgia.
Mais personne n'est entré dans mon cœur et n'a trouvé
mon secret. Ce secret d'enfance par lequel tout a
commencé. Écoutez-moi bien. Je n'ai pas tout dit de ma vie.
Et ceux qui la racontent ne savent presque rien de moi.
Ils écrivent en grand partout le nom de Georgia.
Mais si personne ne sait ce secret-là, personne
ne sait rien de Georgia...*

2 Les secrets

**Au fond des instruments de musique
il y a des papiers pliés en huit
des histoires cachées depuis toujours
mots d'amour sous la peau des tambours**

**On trouve des alliances dans les trompettes
tout usées par les années qui passent
deux initiales une nuit de fête
gravées au ventre d'une contrebasse**

**Des secrets, des secrets, des secrets, des secrets
Les chansons ont toutes un secret**

**En double-fond d'un piano à queue
traîne le parfum de p'tits amoureux
un bric-à-brac de souvenirs précieux
sous les cordes si loin de nos yeux**

**Des cachettes dans les boîtes à musique
des mystères dans le crin des archets
sous le bois des guitares acoustiques
il y a des histoires et des secrets**

**Des secrets, des secrets, des secrets, des secrets
Les chansons ont toutes un secret**

**Au fond des instruments de musique
il y a des papiers pliés en huit
des histoires cachées depuis toujours
mots d'amour sous la peau des tambours**

3

On venait d'arriver dans un appartement beaucoup trop grand pour nous. Ça nous donnait l'impression de flotter dans la chemise de quelqu'un d'autre. Parce qu'il n'y avait plus que ma tante avec moi depuis quelques jours. J'avais sept ans. Ils nous avaient éparpillées, mes trois petites sœurs et moi, à plusieurs endroits du pays, comme une poignée de billes qu'on jette sur un carrelage. Par un grand mystère, cet appartement était à louer pour presque rien. En entrant, ma tante avait dit en agrandissant les yeux : « Ça cache peut-être quelque chose... mais j'aime bien les surprises.» Moi, je ne savais plus si j'aimais les surprises. Certains pleurent à cet âge quand ils déménagent. Moi, je ne pleurais pas. J'emmenais ma tante et mon tourne-disque. Et s'il y avait eu mes petites sœurs avec moi, ça m'aurait suffi pour le voyage. Mais il y avait tous mes Rêves. Mes Rêves étaient ce que j'avais de plus encombrant. Ils remplissaient mon ancienne chambre jusqu'au plafond et ils m'avaient sauvé la vie pendant toutes ces années...

4 Drôles de rêves

Aimait-elle encore les surprises
La Georgia ?
Elle était partie sans valise
En ce temps-là
Laissant la peur, laissant la fièvre
Très loin de là
Mais emmenant tous ses Rêves...
Ô Georgia...

Elle nous voulait drôles
Ses Rêves
Elle nous voulait doux
Chacun dans son rôle
De Rêve
Des sages et des fous

Et on n'avait qu'un
Seul rêve
En chantant pour elle :
Voir enfin sourire
Ses lèvres
Et pousser ses ailes.

(Reprendre au début)

5

– On va où ?
– Je sais pas, mais on y va.
– C'est pas trop tôt.
– On n'a pas perdu quelqu'un ?
– Accrochez-vous.
– Mais on va où ?
– Yahouu !
– Oooooh ! J'ai perdu mon chapeau !

C'étaient les voix de mes Rêves. Ils nous avaient suivies comme une caravane bleue sur l'autoroute, quand ma tante m'avait emmenée. Je me retournais sur la banquette pour voir s'ils étaient toujours là, ces Rêves, dans la fumée de notre vieille voiture, et si aucun ne se laissait écraser sous un camion. Oui, par un grand mystère, cet appartement du dernier étage n'avait jamais gardé ses habitants plus d'un mois. Ma tante répétait encore « Ça cache quelque chose » en riant et en se penchant sur le parquet comme si elle cherchait des petits êtres qui préparaient des farces dans les coins. Et moi, je promenais mes yeux sur le plafond. Je voyais déjà toute la place que j'aurais pour faire grimper la troupe de mes Rêves qui attendait en bas dans la rue.

– Elle va quand même pas nous laisser derrière la porte.
– Joue, vas-y.
– Qui ça ? Moi ?
– Non, pas toi.
– Qui ça ? Moi ?
– Non, toi !
– Qui ça ? Moi ?
– Oui, toi !

C'étaient des Rêves doux et souriants, avec des instruments de musique dans des étuis. Certains se reposaient, assis sur le trottoir, d'un si long voyage.

– Ouais, ça c'est bien.
– Pourquoi lui ?
– Vas-y, joue avec moi.
– Pourquoi lui ?
– Joue, je te dis !
– Et chante !

6 Le vol plané

J'ai fait un vol plané dans l'air
Que je chantonne
Je suis monté dans l'atmosphère
Là où personne
N'a emmené une montgolfière
Un microphone
Pendu à des notes si légères
Là où personne
N'a emmené une montgolfière
Un microphone
Pendu à des notes si légères
Qui papillonnent

Je vole, je vole là où personne
ne m'abandonne

Alors je descends vers la terre
Presque aphone
Vers une zone hospitalière
Moins monotone
Car la musique a besoin d'air
Pour que résonnent
Des voix tendres et familières
À hauteur d'homme
Car la musique a besoin d'air
Pour que résonnent
Des voix tendres et familières
À hauteur d'homme

Je vole, je vole là où personne
ne m'abandonne } bis

J'ai fait un vol plané dans l'air
Que je chantonne

7

Mes Rêves étaient mes seuls amis. Ils formaient une bande parfois joyeuse, parfois triste, qui ne me quittait pas. Ils étaient indispensables et envahissants. Comme tous les amis, je crois. Et dans ma vie, ils se faisaient aussi discrets qu'une équipe de rugby ou une fanfare. Ils prenaient toute la place. Ils ne laissaient aucun espace pour les autres, pour la vie, les copains et l'école...

8 La grosse bête

Les yeux enfoncés dans son bras
Elle songe à ses petites sœurs
Des petits cailloux dans le cœur
Et des fourmis un peu plus bas

Elle entend les vagues qui passent
Et qui emmènent les familles
Ça fait un bruit de marée basse
Le bonheur qu'on éparpille

Écoutez-la qui ne chante pas
Écoutez-la qui ne chante pas
On dirait qu'une grosse bête
Lui a avalé son orchestre
On dirait qu'une grosse bête
On dirait qu'une grosse bête

Enlève tes deux yeux de ton bras
Fais-le pour tes petites sœurs
Arrache les cailloux de ton cœur
Et prends les fourmis avec toi

Vas-y, arrête de faire la muette
Va-t'en te battre avec la bête
Vas-y, profite qu'elle fait la sieste
Endormie sur ton orchestre

Écoutez-la qui ne chante pas
Écoutez-la qui ne chante pas
On dirait qu'une grosse bête
Lui a avalé son orchestre
On dirait qu'une grosse bête
On dirait qu'une grosse bête

– Allez ! À toi maintenant !
– Moi ?
– Non, toi. Et quelque chose de plus joyeux, hein !
– Vas-y ! Vas-y !
– Moi ? Je suis trop ému...
– Bon alors à toi ! Elle commence et toi, tu suis.

9 La valse des rêves

Avec nous elle rit et tremble
Dansons ensemble !
Ce tout petit peuple dans sa chambre
Quand Georgia s'absente,
Chantons ensemble
Dans la nuit nos yeux ressemblent
À des feux follets rouges et ambre.

Avec nous elle rit et tremble
Dansons ensemble
Écoutez les Rêves,
Écoutez les Rêves qui chantent

Nous, ce petit peuple sans formes
Nous vous entraînons dans la danse
Des rêves qui jamais ne dorment
Et qui veillent sur notre enfance

Avec nous elle rit et tremble
Dansons ensemble !
Ce tout petit peuple dans sa chambre
Quand Georgia s'absente,
Chantons ensemble
Dans la nuit nos yeux ressemblent
À des feux follets rouges et ambre.

Avec nous elle rit et tremble
Dansons ensemble
Écoutez les Rêves,
Écoutez les Rêves qui chantent } *bis*

10

Cette fois, ce n'était pas l'un de mes Rêves habituels. J'entendais jouer du violon derrière le mur... Pour de vrai.

– Mais non, c'est pas moi !
– Chuut !
– Alors c'est qui ?
– Écoutez...
– Ouaah... Mon idée, c'est que c'est pas un manchot.
– Oui, mais ça manque de swing.
– Mais tais-toi.
– Ça manque de swing !
– Tais-toi, on entend plus rien !
– Ça manque de swing !

C'est là que tout a commencé.
Quelqu'un jouait du violon, juste à côté. Je commençais à comprendre pourquoi personne n'était jamais resté longtemps dans cet appartement. Cela a duré des nuits. Moi, ce n'était pas le bruit qui m'empêchait de dormir : c'était l'émerveillement. J'aimais cette musique qui me parlait. Quand je revenais de l'école, je restais des heures à écouter le violon. Je comprenais tout ce qu'il disait.

– Et nous ? Elle s'occupe plus de nous ?
– Attends juste qu'il s'arrête.
– Écoute un peu comme c'est beau.
– C'est long surtout...

Et quand le violon se taisait…

– Vous voyez ! Je vous l'avais dit.
– Ça va être à nous.

… J'appelais près de moi les Rêves les plus dansants, pour le réveiller en jouant de la musique. Et moi, je rebondissais sur mon lit… !

– Un…
– Deux…
– Un, deux, trois, quatre !

11

Mais plus ce violon hantait mes nuits, plus mes jours se passaient mal dans ma nouvelle école. Je vivais chaque journée comme un fantôme. Et les cris de la maîtresse, les rires des élèves me traversaient sans me toucher. Un jour, quand je suis revenue à la maison, ma tante ne m'a même pas reconnue. Je suis passée devant elle. Je devais être effrayante. Je me suis enfermée dans ma chambre. Ma tante s'était assise par terre dans le couloir et me parlait à travers la porte. Elle me disait que les gens de l'école l'avaient appelée. Elle savait que ça n'allait pas. Elle était allée les rencontrer. Et quand elle disait que ça allait s'arranger, j'entendais des larmes dans sa voix. Elle disait qu'on trouverait bien un jour une solution pour mes petites sœurs et moi, pour nous réunir enfin. Et elle reparlait d'école. Elle répétait des mots qu'elle n'avait jamais dits avant : « ékipédagogik » ou « assistantesociale ». Des mots barbares qui montraient qu'elle était passée dans leur camp.

Mais moi, je ne la croyais pas. Je ne voyais pas ce qui pouvait s'arranger. Et j'avais seulement envie que mes rêves chantent.

– Mais enfin qu'est-ce que vous faites ?
– Quoi ?
– Qu'est-ce qu'il y a ?
– Vous ne voyez pas qu'elle a besoin de vous ?
– Vous êtes qui, vous ?
– Je suis le Rêve secret de Georgia. Son plus grand rêve.
– Et nous ? On n'est pas des grands rêves ?
– Laisse-la un peu parler.
– Elle n'a pas l'air comme nous, c'est vrai ça.
– C'est quoi ce grand rêve ?
– C'est un secret, je vous le dirai un jour.
Pour l'instant, chantez ! Chantez des histoires !
Des histoires et des chansons qui font tout oublier.

12 La petite fée

***Laissez-moi
Vous raconter cette légende
D'une fée
Qui retenait dans son château
Des notes des notes
De musique bâillonnées***

***Elles étaient
Emprisonnées dans un cachot
Grelottantes et oubliées
de ceux d'en haut
Ces notes ces notes
De musique bâillonnées***

***En hiver comme en été
La fée descendait donner
Le pain, le silence et l'eau
Aux notes de musique
Et nuit et jour il n'y avait
Pas un son venu d'en haut
Ce n'est pas la vie rêvée
Des notes de musique***

***– Mais un jour, au dernier chant
du rossignol, alors que la petite fée
était remontée dans ses appartements…***

***Le do défit les liens du si bémol
Qui libéra le ré, le si, le sol…
Et dans la nuit on vit en farandole
Les notes filer à l'anglaise
Par l'échelle du fa dièse***

***Laissez-moi
Vous raconter ce qui attend
Chaque fée
Qui retiendra dans son château
Des notes des notes
De musique bâillonnées***

***Elle sera
Emprisonnée dans un cachot
Grelottante et oubliée
de ceux d'en haut
Des notes des notes
De musique libérées***

***C'est ce qui arrive aux fées
Qui gardent dans leur château
La beauté ensorcelée
Des notes de musique
Mais si elle vient à chanter
La fée pourra transformer
Le pain, le silence et l'eau
En notes de musique***

***– Alors chaque jour, au chant du rossignol,
elle se souviendra du soir où…***

***Le do défit les liens du si bémol
Qui libéra le ré, le si, le sol…
Et dans la nuit on vit en farandole
Les notes filer à l'anglaise
Par l'échelle du fa dièse*** } ***bis***

***Des notes des notes
De musique libérées***

13

*Mes rêves chantaient mais je n'avais dans la tête
que cette grande découverte que je venais de faire,
là, juste au coin de ma rue, au retour de l'école.
Une découverte qui balayait tout ce que je savais
du monde. Pour la première fois, j'étais allée chercher
l'immeuble, derrière le mien, où habitait mon violon.
Mes rêves me suivaient dans la rue...*

– C'est par là ?
– Ça paraît loin.
– J'ai mal aux pieds.
– Te fais pas écraser.
– Attendez-moi.
– Attention !

*J'avais le cœur qui battait en cherchant cet immeuble
derrière le mien, je pensais que j'allais enfin découvrir
la personne qui s'était glissée dans ma vie, avec son violon.
Mais en arrivant, je me suis arrêtée. Il n'y avait rien.
Oui, l'arrière de mon bâtiment donnait bien de ce côté.*

– Regardez...
– Y a rien.
– Je vous l'avais dit.
– Rien.

*Juste un terrain vague, une barrière en bois,
quelques vélos accrochés. Rien d'autre. Rien.*

– Pas d'immeuble.
– Pas d'appartement.
– Pas de violon.
– Je vous l'avais dit...
– Rien.

*Il n'y avait que le vide, des mauvaises herbes et du lierre.
Et cette immense façade sans fenêtre derrière laquelle,
tout en haut, devait se trouver ma chambre. Il y avait
aussi une plaque sur le côté avec quelques lignes gravées,
mais le lierre la couvrait aussi et on ne pouvait rien lire.
Où était-il, mon violon ? Dans quel monde invisible
vivait-il, puisque sa maison n'existait pas ?
J'étais triste. Et déjà mes rêves courageux essayaient
de remplir ce grand silence et de me consoler.*

14 Ce qui te manquerait

***Le froid sur tes joues en papier
L'hiver qui craque sous tes pieds
Et même les larmes gelées
Et leur goût de glaçon salé
Le bruit d'un pas dans la maison
Quelqu'un promène ses chansons
Des sapins glissent dans la rue
Et sur la vitrine entrevue
Se collent comme des araignées
Des mains d'enfants tout embuées***

***Les nuits où tu veux être ailleurs
Sur une planète sans malheur
Pense à ce qui te manquerait
Pense à ce qui te manquerait***

***Le premier soleil du matin
La dernière neige de l'année
Et puis manger quand on a faim
Enjamber les ruisseaux glacés
Brume dehors sieste sans fin
Dans le silence d'un feu éteint
Le froid sur tes joues en papier
L'hiver qui craque sous tes pieds
Et même les larmes gelées
Et leur goût de glaçon salé***

***Les nuits où tu veux être ailleurs
Sur une planète sans malheur
Pense à ce qui te manquerait
Pense à ce qui te manquerait
De ce monde imparfait*** } ***bis***

Cette nuit-là, alors que je venais de découvrir qu'il n'y avait rien derrière le mur, j'ai vu pour la première fois la lumière dans le trou, derrière le radiateur. Le passage était bouché par une brique. Mais...

– Regardez, là, la lumière !
– Poussez-vous. J'y vois rien.
– Calmez-vous un peu !
– Il y a quelqu'un derrière.
– Chuuut...

... La brique laissait passer cette petite lumière jaune tremblante. Je me suis penchée et j'ai fait bouger la brique qui est tombée de l'autre côté. Le violon s'est arrêté.

Lui : Qui est là ?
Moi : Moi.
Lui : Où tu es ?
Moi : C'est moi qui te demande ça.
Lui : Je te l'ai demandé en premier.
Moi : Non, c'est moi.

– Ça y est... Voilà encore autre chose.
– Tais-toi.
– C'est beau...
– Laisse-les tranquilles.
– J'ai rien dit.
– J'y vois rien.
– Chuuut.

Moi : T'es où ?
Lui : Moi, je suis chez moi.
Moi : Moi aussi.
Lui : Je suis content de t'entendre.
Moi : C'est toi qui joues de la musique ?
Lui : Oui. Et toi ?
Moi : Non.
Lui : J'entends du bruit, pourtant, quelquefois.
Moi : C'est pas moi.

– C'est nous !
– Chuuut !

16

Lui : Tes parents sont là ?
Moi : Non. Et les tiens ?
Lui : Ils étaient partis pour quatre jours au bord de la mer. Mais quand ils ont voulu revenir, la ville était fermée. Des soldats encerclaient tout. C'est la guerre, ici. On ne peut pas sortir de la ville. Alors je suis resté seul. Je me suis enfermé dans la maison. J'ai cloué des planches sur les portes. Mais j'ai des bougies, mon violon... J'ai le temps.
Moi : Des bougies ?
Lui : Oui.
Moi : Tu t'appelles comment ?
Lui : Sam.
Moi : Et tu vis quand ?
Sam : Maintenant.
Moi : Moi, je m'appelle Georgia.
Sam : Et tu vis quand ?
Moi: Maintenant.
Sam : Tu veux des bougies ?
Moi : Arrête avec tes bougies ! Sam, je peux te dire quelque chose ?
Sam : Oui.
Moi : Je crois que tu me racontes des histoires. Je crois que tu n'existes pas. La ville n'est pas fermée. Il n'y a pas de soldats. Et ta maison...
Sam : Quoi ?

– Ta maison elle n'existe pas.
– Mais tu vas te taire !

Sam : Qui a parlé ?

– Personne, pourquoi ?

Moi : Je dis juste que tu n'existes pas.
Sam : C'est vrai. Parfois, je me dis ça, la nuit quand je me réveille. Je suis seul. Personne ne sait si j'existe encore. Mais je prends mon violon et ça passe.

– Tu parles... Ça passe pas, ça dure des heures, son violon !
– Chuuut.

Moi : Ce qui me fait peur, c'est que tu n'existes pas.
Sam : Moi aussi, Georgia, ça me fait peur.

Il m'a fallu plusieurs nuits passées à parler entre les briques pour comprendre le monde de Sam. Sa voix et son violon construisaient tout un petit théâtre derrière le mur.
Il me parlait de bonnes et de cuisiniers qui avaient quitté la maison au commencement de la guerre. Il me parlait de chevaux volés par des pillards, de gens qui cherchaient à partir de la ville, pris au piège de l'ennemi. Et je voyais dans ma tête les torches qui circulaient dans les rues, les premières neiges, l'eau glacée des gouttières. C'était un petit théâtre ancien, si éloigné de ma vie. Pourtant, la voix de Sam murmurait tout près de mon oreille.

Sam : Georgia, tu chantes ? Allez, chante avec moi ?
Moi : Non.
Sam : Je t'ai entendue. Je sais que tu chantes.
Moi : Non.
Sam : Bon, je joue et toi, tu chantes, d'accord ?
Moi : Non.

18 C'est si facile de chanter

C'est si facile
De chanter
On laisse les craintes
S'en aller
Un thème, un tempo
Une tonalité
C'est si facile
La chanson sort de l'eau

Et ça commence comme ça
La la la la la
Des « la » entre les mots
La la la la la
C'est facile de chanter
La la la la la
On remplace les « la »
Au fil des mots

Et ça commence comme ça
La la la la la
Des « la » entre les mots
La la la la la
Pas facile de chanter
La la la la la
On remplace les « la »
Au fil des mots

La la la la la
La la la la la...
Au fil des mots

C'est pas facile
De chanter
Laisser les craintes
S'en aller
Un thème, un tempo
Une tonalité
C'est pas facile
La chanson sort de l'eau

Et ça commence comme ça
La la la la la
Des « la » entre les mots
La la la la la
Pas facile de chanter
La la la la la
On remplace les « la »
Au fil des mots

Et ça commence comme ça
La la la la la
Des « la » entre les mots
La la la la la
C'est facile de chanter
La la la la la
On remplace les « la »
Au fil de l'eau

La la la la la
La la la la la...

Au fil des mots
Au fil des mots
Au fil des mots

La chanson sort de l'eau

19

Depuis que je parlais avec Sam, tout allait mieux à l'école. Je passais du temps à la bibliothèque. Je cherchais partout dans les livres la trace du temps où vivait Sam. Je changeais. J'avais fait comprendre à mes Rêves qu'il fallait qu'ils restent à la maison. Quand je partais le matin, ils me suivaient un peu dans l'escalier et je les renvoyais sévèrement dans la chambre. Ils avaient l'air tout tristes, ils s'ennuyaient, comme les jouets d'un enfant qui grandit. Mais un jour, pendant que je n'étais pas là, il se passa quelque chose.

– Vous allez un peu vous secouer ?
– Elle est pas drôle, Georgia.
– Elle ne s'occupe plus de nous.
– Je vous l'avais dit !
– Jaloux !
– C'est quoi ce grand rêve dont vous parliez ?
– Ce grand rêve, c'est...
– Quoi ?
– Oh ! Regardez.
– Ooooh ! Il y a le radiateur qui bouge.

En se déplaçant, le radiateur a libéré un passage assez large pour laisser apparaître Sam, tout entier, avec son violon.

– Vous êtes Sam ?
Sam : Et vous ? Vous êtes qui ?
– Ça ne le regarde pas.
– Excusez-les, ils ne savent pas vivre. Enchantée.
Je suis le plus grand rêve de Georgia.
Sam : Alors, elle a tous ces rêves autour d'elle ?
– Et de l'autre côté du mur, il n'y a pas de Rêves ?
Ça n'existe pas chez vous, les Rêves ?
Sam : Ça existe partout où il y a des gens.
Mais qu'est-ce que vous chantez ?
– Toujours la même...
– Georgia.

20 Georgia on My Mind

Georgia, Georgia,
The whole day through
Just an old sweet song
Keeps Georgia on my mind

I said Georgia, Georgia
A song of you
Comes as sweet and clear
As moonlight through the pines

Other arms reach out to me
Other eyes smile tenderly
Still in peaceful dreams I see
The road leads back to you

Ô Georgia, sweet Georgia
No peace I find
Just an old sweet song
Keeps Georgia on my mind

Other arms reach out to me
Other eyes smile tenderly
Still in peaceful dreams I see
The road leads back to you

Ô Georgia, Ô Georgia
No peace no peace I find
Just an old sweet song
Keeps Georgia on my mind
On my mind

21

En rentrant de l'école le soir, je sentais bien que quelque chose avait changé dans ma chambre. Je me suis approchée du radiateur.

Moi : Sam ! Tu m'entends ? Sam ?
Sam : Georgia ?
Moi : Tu dormais ?
Sam : Oui.
Moi : Pourquoi tu dormais ?
Sam, j'ai quelque chose à te dire. Je crois que tu vis il y a cent ans. Ce que tu racontes est arrivé il y a cent ans. Un siècle exactement. J'ai trouvé des livres qui le disent. La ville était fermée, encerclée par des ennemis. Impossible d'entrer et de sortir. Ça a duré tout un hiver.

J'avais découvert cela à la bibliothèque de l'école. Entre nous, entre Sam et moi, l'épaisseur du mur était de cent ans.

Boum

Ne te cache pas
Regarde-moi
Non ne laisse pas
Non non non non
L'épaisseur d'un mur
Entre toi et moi
Pas plus qu'un murmure
Un écran de soie
Derrière la paroi
J'ai le cœur qui bat
La moitié de moi
À cent ans de là

Boum boum boum
De l'autre côté
Boum boum boum
Laissez-la entrer
Boum boum boum
Je l'entends frapper, frapper,
Frapper frapper frapper frapper
Boum boum boum
De l'autre côté
Boum boum boum
Laissez-la entrer
Boum boum boum
Je l'entends frapper, frapper,
Frapper frapper frapper
(Répéter les deux couplets)

Ne t'en va pas, ne t'en va pas
Ne laisse pas, ne laisse pas
L'épaisseur d'un mur
Entre toi et moi
Pas plus qu'un murmure
Un écran de soie
Derrière la paroi
J'ai le cœur qui bat
La moitié de moi
À cent ans de là

Boum boum boum
De l'autre côté
Boum boum boum
Laissez-la entrer
Boum boum boum
Je l'entends frapper, frapper,
Frapper frapper frapper frapper

Boum boum boum
De l'autre côté
Boum boum boum
Laissez-la entrer
Boum boum boum
Je l'entends frapper, frapper,
Frapper frapper frapper, frapper

L'épaisseur d'un mur
Pas plus qu'un murmure
Derrière la paroi
J'ai le cœur qui bat

Boum boum boum
Boum boum boum
Boum boum boum
Boum boum boum
Boum boum boum
Boum boum boum
Je l'entends frapper, frapper,
Frapper frapper frapper frapper

Sam : Un mur de cent ans, qu'est-ce que ça change puisque nos voix le traversent .

Moi : J'ai peur de ce qui peut t'arriver.

Sam : Moi j'ai peur. De ce que tu as dans la voix et que tu ne donnes à personne. Je ne suis pas le seul à être enfermé. Toi aussi, tu es enfermée.

Moi : Laisse-moi.

Sam : Je ne te laisserai pas. Je t'ai entendue un soir. Je sais que tu chantes.

23 Fragile

Suivre les nuages
S'en aller en vagabonde pour escalader le monde
Promettre un peu trop
Profiter de la fièvre, compter sur les baies sauvages
Boire l'eau des lacs
Frôler dans la nuit le vide et perdre l'équilibre
Marcher sur le fil
Écrire sur le dos des boîtes d'allumettes
Voyager, chantonner très bas
Profiter de la fièvre, partir à l'aventure
Se perdre et puis regarder les chevaux faire
Quelques pas de danse sur la rivière gelée
Et couper par les champs de blé

Je suis fragile, oh comme je suis fragile
Fragile, oh comme je suis fragile
Fragile, fragile, fragile, fragile...

Marcher avant l'aube
Aimer la nuit des forêts
Jouer seule à des jeux que personne ne connaît
Se jeter contre les vagues, monter pieds nus dans l'arbre
Se faire oublier, plonger dans les cascades,
Ouvrir les yeux sous l'eau, jamais ne plus savoir l'heure,
Murmurer dans une langue inconnue
Comme pour un secret
Chantonner très bas
Profiter de la fièvre, partir à l'aventure
Se perdre et puis regarder les chevaux faire
quelques pas de danse sur la rivière gelée
Et couper par les champs de blé

Je suis fragile, oh comme je suis fragile
Fragile, oh comme je suis fragile
Fragile, fragile, fragile, fragile...

Chantonner très bas
Profiter de la fièvre, partir à l'aventure
Se perdre et puis regarder les chevaux
faire quelques pas de danse sur la rivière gelée
Et couper par les champs de blé

Je suis fragile, oh comme je suis fragile
Fragile, oh comme je suis fragile
Fragile, fragile, fragile, fragile...

24

Après avoir chanté, je l'ai vu. Caché dans le désordre des disques, il y avait son violon. Son violon qu'il avait oublié là. J'ai frappé un grand coup contre le mur.

Moi : Qu'est-ce que c'est que ça ?
– Euh, ça ?
– Tiens... Oui...
– Je ne sais pas.
– Aucune idée...
– Écoute, Georgia. On va t'expliquer...
– C'est...
– C'est un violon, ou je me trompe ?
– Mais, fallait pas le dire !
– Que tu es bête !
– Chuut !

Moi : Sam ! Tu es venu pendant que je n'étais pas là.
Je sais que tu es venu. Tu viens et tu ne me le dis pas ?
Tu passes de mon côté en cachette ?
Sam : Il faut bien faire chanter tes rêves.

– Ben oui.
– Regardez...
– Le radiateur...
– C'est lui...

Le radiateur a bougé. Sam est passé de mon côté.

Sam : Tu chantes ? Je prends le violon.

25

Chanson sans paroles

C'est une chanson sans paroles
Toute cousue de notes folles
Elle est douce et désarmée
Venue d'une bouche fermée
Elle chante pour les silencieux
Les enfants qui de leur mieux
Cachent des peines muettes
Des dragons et des tempêtes
Des dragons et des tempêtes

Mais ça chante à l'intérieur
Ça chante ça chante à plein cœur
Et derrière les yeux fermés
On entend monter la rumeur...

Chanson sans paroles
Chanson sans paroles
Chanson sans paroles
Chanson sans paroles

C'est une chanson sans paroles
Elle s'envole et nous affole
Elle fait sortir de leur lit
Les enfants et les rivières
Elle nous fait quitter la terre
Elle met des étoiles en l'air
(Des papillons plein la tête)
Elle apaise nos tempêtes
(Des papillons plein la tête)

Et ça chante à l'intérieur
Ça chante ça chante à plein cœur
Et derrière les yeux fermés
On entend monter la rumeur...

Chanson sans paroles...

26

Il m'a aidée. Avec le temps, Sam a sorti les notes de mon cœur, une par une, pour leur apprendre à voler. Et puis un jour au milieu de l'hiver il a cru que c'était fini, la ville était libérée. Il a reçu une lettre de sa famille qui lui disait de les rejoindre au bord de la mer. Il a décloué les planches aux fenêtres de sa maison.

Moi : Pourquoi tu ne vas pas les retrouver ?
Sam : Je ne suis pas pressé. J'ai déjà cent ans de retard sur toi.
Moi : Tu ne restes pas pour moi, j'espère ? J'ai mes Rêves, je peux très bien t'attendre si tu t'en vas.
Sam : Je sais. Maintenant que tu chantes... Mais j'ai encore des choses à t'apprendre. Je partirai au printemps.

Et, dans le froid de l'hiver, ont résonné d'autres chansons.

27 Amazing Grace

Amazing grace ! How sweet the sound
That saved a wretch like me !
I once was lost, but now am found
Was blind, but now I see.

It was grace that taught my heart to fear
And grace my fears relieved
How precious did that grace appear
The hour I first believed.

When we've been there ten thousand years
Bright shining as the sun
We've no less days to sing God's praise
Than when we've first begun.

28

Juste avant le printemps, de l'autre côté du mur, on a entendu gronder de nouveaux combats.

Moi : Qu'est-ce que c'est ? Où étais-tu passé ?
Sam : Le peuple de la ville prend le pouvoir.
Moi : Il n'y a jamais la paix, chez toi ?
Sam : Ce n'est pas la guerre. C'est autre chose.
Moi : Tu ne pars plus au bord de la mer ?
Sam : Je reste. Je joue du violon dans les rues au milieu des gens. C'est l'air du printemps et de la révolte.

Il revenait, couvert de poussières et de cendres, tous les soirs. Et moi aussi, chaque jour, je partais au combat dans mon école. Je parlais enfin aux autres. Je prenais ma place. Je changeais. Et il m'arrivait de chanter. Et au mois de mai…

Lui : Je vais devoir partir, Georgia. La ville commence à brûler. C'est dangereux. J'ai un cheval pour m'emmener au bord de la mer. Il m'attend en bas.

29 Le temps des cerises

Cerises d'amour aux robes pareilles,
Tombant sous la feuille en gouttes de sang…
Mais il est bien court, le temps des cerises,
Pendants de corail qu'on cueille en rêvant !

Quand vous en serez au temps des cerises,
Si vous avez peur des chagrins d'amour,
Évitez les belles !
Moi qui ne crains pas les peines cruelles
Je ne vivrai pas sans souffrir un jour…
Quand vous en serez au temps des cerises
Vous aurez aussi des chagrins d'amour !

J'aimerai toujours le temps des cerises,
C'est de ce temps-là que je garde au cœur
Une plaie ouverte !
Et dame Fortune, en m'étant offerte
Ne pourra jamais calmer ma douleur…

J'aimerai toujours le temps des cerises
Et le souvenir que je garde au cœur !

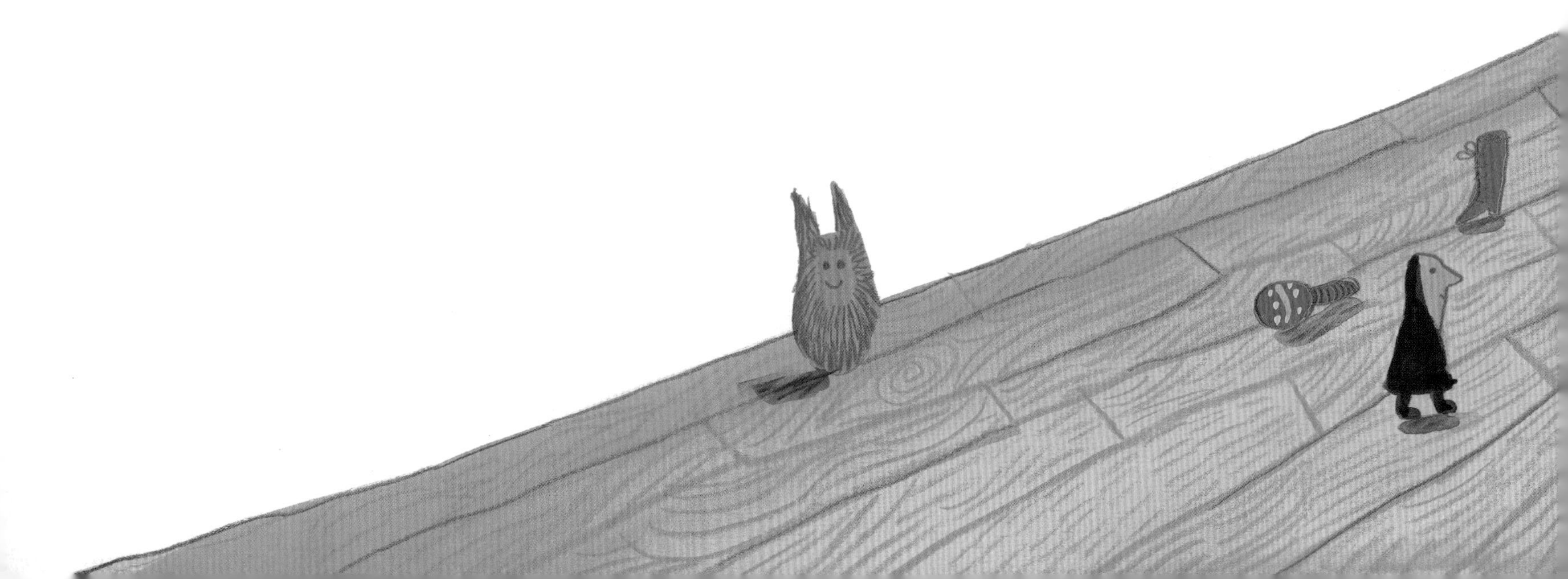

30 Ne pars pas

– Ne pars pas. Pas maintenant.
Attends un peu, je partirai aussi.
– Où iras-tu, où iras-tu si maintenant,
j'attends un peu ainsi ?
– J'irai trouver mes petites sœurs.
On me l'a promis. On me l'a dit.
Dans un endroit qui nous ressemble.
Attends un peu qu'on nous rassemble
Mais ne pars pas. Pas maintenant.
Attends un peu et reste encore ici.
– Mais pourquoi, Georgia,
dis pourquoi tu as besoin de moi ici ?
– J'ai besoin de toi…
– Georgia…
– Pour un soir…
– Georgia…
– Demain, pour un seul soir. Je vais chanter.
– Georgia…
– Devant les autres. Tous les autres.
Je chanterai et partirai d'ici.
J'ai peur, Sam. Reste avec moi.
Tu partiras après ma chanson. Et moi aussi.
– Tu vas trouver tes petites sœurs.
On te l'a promis. On te l'a dit. (On me l'a dit.)
Dans un endroit qui vous ressemble.
C'est le moment qu'on vous rassemble.
(Qu'on nous rassemble.)
Je ne pars pas. Pas maintenant.
J'attends un peu, je reste encore ici.
– J'irai trouver mes petites sœurs.
(Tu vas trouver tes petites sœurs.)
On me l'a promis. (On te l'a promis.)
On me l'a dit. (On te l'a dit.) On me l'a dit.
Dans un endroit qui nous ressemble.
(Dans un endroit qui vous ressemble.)
Attends un peu qu'on nous rassemble.
C'est le moment qu'on vous rassemble.
(Qu'on nous rassemble.)
Ne pars pas. (Je ne pars pas.) Pas maintenant.
Attends un peu et reste encore. (Je reste encore.)
– Ici.

Moi : Donne-moi ton violon. J'ai trop peur que tu t'en ailles sans le dire. Je le garde avec moi pour dormir.

Cette nuit-là aurait été la nuit de tous les cauchemars s'il n'y avait eu mes Rêves, autour de moi. Mes Rêves qui chantaient des airs doux et anciens. Des airs forts comme le vent de printemps qui soufflait dehors, prêt à m'emporter.

– Alors c'était ça, son grand rêve ?
– Oui, c'était ça.
– Retrouver ses petites sœurs…
– C'est le plus grand rêve de chacun. Être avec ceux qu'on aime. Je suis ce rêve-là. Et quand il se réalisera, je pourrai m'en aller.
– Et nous, quand elle va enfin chanter devant les autres, on s'en ira aussi. On s'en ira tous.
– Moi j'ai pas envie de partir.
– Moi non plus.
– C'est la vie des rêves… On est faits pour s'en aller un jour. Demain, elle va chanter. Et puis elle ira retrouver ses petites sœurs. Et d'autres rêves viendront. Des drôles, des doux, des rêves un peu fous…

Le lendemain, c'était le grand soir. J'ai appelé Sam par le trou, près du radiateur.

Moi : Sam... Sam... C'est l'heure. Il faut qu'on parte. Viens. Ouvre-moi.

J'étais blottie contre le mur. On devait m'attendre pour le spectacle de l'école. Je me souviens que j'entendais le vent plus fort que jamais, je le sentais passer dans mes cheveux.

Moi : Sam !

Il était l'heure de partir et Sam ne répondait pas. Quand j'ai poussé le radiateur, un grand courant d'air a failli m'aspirer.

Moi : Sam !

Derrière le mur, il n'y avait plus que le vide. Il y avait le ciel et la lumière du soir. Est-ce que j'avais encore rêvé ? Alors je me suis précipitée dans l'escalier. Je courais au milieu de la rue. Je suis arrivée dans le terrain vague, derrière l'immeuble. J'ai arraché le lierre sur la plaque. J'ai enfin lu les mots gravés sur la pierre. Ces mots parlaient d'une maison qui existait là, il y a longtemps. La maison avait brûlé. Cent ans plus tôt, jour pour jour. C'était écrit sous mes yeux. La date précise. J'aurais pu tout savoir à l'avance. J'aurais pu l'avertir. Il y avait le nom de Samuel S, un jeune violoniste qui habitait seul cette maison mais qu'on n'avait jamais retrouvé dans les décombres. On avait trouvé son cheval vivant. Je me suis traînée vers ma chambre, en larmes, et, avant d'atteindre mon lit, je me suis effondrée.

– Allez, les enfants, c'est à vous de jouer.
– À vous, à nous ?
– Nous ? Qu'est-ce qu'on doit faire ?
– Bon on y va.

STRADIVARI
JC

31 *Je crois que ce soir-là, mes Rêves ont fait une dernière chose pour moi, la dernière avant qu'ils disparaissent tous.*

– On l'a ramassée sur le parquet, inconsciente...
– On l'a portée dans l'escalier et dans la rue...
– On l'a emmenée en cortège vers son école...
– Vers la grande salle de théâtre au fond de la cour. C'était pas grand-chose pour nous...
– Oui, mais on l'a fait.
– Et puis...
– Allez-y, dites-le.
– Et puis on est partis... *Ciao !*
– Et moi, je partirai demain quand elle retrouvera ses petites sœurs...

32 *Je me suis réveillée dans les coulisses. Mes rêves avaient disparu pour toujours. Je voyais la lumière de la scène à quelques pas de moi. J'entendais la voix de la fille qui chantait avant moi, et le public qui respirait.*

Aujourd'hui, je suis certaine que Sam a eu le temps de pousser le radiateur, d'entrer dans ma chambre, dans notre temps, comme un passager clandestin. Il est passé de ce côté, avant que les flammes aient mangé sa maison. J'en suis sûre parce que, dans ma chambre, je n'ai jamais retrouvé le violon que j'avais gardé avec moi avant la dernière nuit. Je suis sûre qu'il était venu reprendre son violon et qu'il est resté.

Dans le théâtre de l'école, je me suis levée pour marcher vers le rayon de lumière, lentement, très lentement.

33

Je ne savais pas encore que tout le monde allait entendre le son d'un violon, quelque part dans les cintres, dans les cordes ou les rideaux de la scène, au-dessus de moi. Il avait tenu parole. Il était là.

Voilà ce secret qui m'a fait grandir.
Il m'a tout appris. Et il ne me quitte pas.

Maintenant, ils écrivent en grand mon nom sur les disques et sur les murs, sur les théâtres avec des lettres de lumière. Ils n'ont pas visité mon cœur, ils n'ont pas trouvé mon secret. Mon secret s'appelle Sam.

C'est ce soir-là que tout a commencé.

Tous mes rêves chantent

Au commencement, j'entends leur fantaisie
J'entends l'enchaînement de couleurs et de bruits
J'entends sortir de mon cœur, de mes nuits,
De mon ombre légère, ces esprits solidaires.
Ce sont mes rêves qui m'appellent
Ce sont eux qui m'émerveillent
Ils sont nés dans mon sommeil
Et me suivent le jour, la joie tout autour.

Tous mes rêves chantent
Tous mes rêves chantent
Tous mes rêves chantent
Tous mes rêves chantent

Ils ne penseront jamais, mes rêves, non,
Que je n'ai pas les épaules taillées pour l'événement
Ils me soutiennent, mes rêves,
Ils me soutiennent vraiment sans trêve,
Même quand le bonheur fait la grève.
Je n'ai pas de personnes, pas d'amis, qui soient plus fidèles.
Pour qu'ils rappliquent, fissa, il suffit que je les appelle.
Je les aime grands comme on aime ceux qui vous entraînent.
Je les garderai propres, toujours dans ma poche.

Tous mes rêves chantent...
J'en ai des souvenirs, j'en ai des bateaux pleins,
Des moments, des moments de plaisir, j'en ai des tonnes, au moins,
Mais mes rêves sont devant, ils sont plus éclatants.
Ils fredonnent, ils susurrent, ils battent la mesure
Au commencement, j'entends leur fantaisie
J'entends l'enchaînement de couleurs et de bruits
J'entends sortir de mon cœur, de mes nuits,
De mon ombre légère, des esprits solidaires.

Tous mes rêves chantent...

LES CHANSONS

2 Les secrets — Avec Alain Chamfort

Paroles : Timothée de Fombelle (Gallimard Jeunesse) - Musique : Johan Farjot (Contraste Productions) - Interprètes : Alain Chamfort, Ensemble Contraste & invités - Avec l'aimable autorisation de LE LABEL – [PIAS] - ℗ Contraste Productions - Durée : 2'42

4 Drôles de rêves — Avec Babx

Paroles : Timothée de Fombelle (Gallimard Jeunesse) - Musique : Mathieu Herzog (Contraste Productions) - Interprètes : Babx, Ensemble Contraste & invités
Avec l'aimable autorisation de Bisonbison - ℗ Contraste Productions - Durée : 1'44

6 Le vol plané — Avec Amandine Bourgeois

Paroles : Timothée de Fombelle (Gallimard Jeunesse) - Musique : Johan Farjot (Contraste Productions) - Interprètes : Amandine Bourgeois, Ensemble Contraste & invités - Avec l'aimable autorisation de Warner Music France -
℗ Contraste Productions - Durée : 3'18

8 La grosse bête — Avec Raphaële Lannadère

Paroles : Timothée de Fombelle (Gallimard Jeunesse) - Musique : Raphaële Lannadère (L Publishing / Lili Louise Musique / Contraste Productions) - Interprètes : Raphaële Lannadère, Ensemble Contraste & invités - Avec l'aimable autorisation de Tôt ou Tard
℗ Contraste Productions - Durée : 2'29

9 La valse des Rêves — Avec Karine Deshayes et Magali Léger

Paroles : Timothée de Fombelle (Gallimard Jeunesse) - Musique : Johan Farjot (Contraste Productions) - Interprètes : Karine Deshayes et Magali Léger, Ensemble Contraste & invités ℗ Contraste Productions - Durée : 1'59

12 La petite fée — Avec Emily Loizeau et La Maîtrise de Paris

Paroles : Timothée de Fombelle (Gallimard Jeunesse) - Musique : Johan Farjot (Contraste Productions) - Interprètes : Emily Loizeau, La Maîtrise de Paris, Ensemble Contraste & invités - Avec l'aimable autorisation de Madoro Music -
℗ Contraste Productions - Durée : 2'48

14 Ce qui te manquerait — Avec Pauline Croze

Paroles : Timothée de Fombelle (Gallimard Jeunesse) : Musique : Albin de la Simone (De Fil en Aiguille) - Interprètes : Pauline Croze, Ensemble Contraste & invités -
Avec l'aimable autorisation de Tôt ou Tard - ℗ Contraste Productions - Durée : 2'45

18 C'est si facile de chanter — Avec Albin de la Simone et Marie Oppert

Paroles : Timothée de Fombelle (Gallimard Jeunesse) - Musique : Johan Farjot (Contraste Productions) - Interprètes : Marie Oppert et Albin de la Simone, Ensemble Contraste & invités - ℗ Contraste Productions - Durée : 2'40

20 Georgia on my mind — Avec Ariane Moffatt

Paroles : Stewart Gorrel - Musique : Hoagy Carmichael - Interprètes : Ariane Moffatt, Ensemble Contraste & invités - Avec l'aimable autorisation de Simone Records -
℗ Contraste Productions - Durée : 3'37

22 Boum — Avec Albin de la Simone

Paroles : Timothée de Fombelle (Gallimard Jeunesse) - Musique : Johan Farjot (Contraste Productions) - Interprètes : Albin de la Simone, Marie Oppert (chœur), Ensemble Contraste & invités - ℗ Contraste Productions - Durée : 2'59

23 Fragile — Avec Marie Oppert

Paroles :Timothée de Fombelle (Gallimard Jeunesse) - Johan Farjot (Contraste Productions) - Interprètes : Marie Oppert, Johan Farjot (piano) -
℗ Contraste Productions - Durée : 3'36

25 Chanson sans paroles — Avec Marie Oppert et La Maîtrise de Paris

Paroles :Timothée de Fombelle (Gallimard Jeunesse) - Musique : Johan Farjot (Contraste Productions) - Interprètes : Marie Oppert, La Maîtrise de Paris, Ensemble Contraste & invités - ℗ Contraste Productions - Durée : 2'18

27 Amazing Grace — Avec Rosemary Standley

Paroles : John Newton - Musique : William Walker - Interprètes : Rosemary Standley, Johan Farjot (piano) - ℗ Contraste Productions - Durée : 2'24

29 Le temps des cerises — Avec Florian Laconi et La Maîtrise de Paris

Paroles : Jean-Baptiste Clément - Musique : Antoine Renard - Interprètes : Florian Laconi (ténor), La Maîtrise de Paris - ℗ Contraste Productions - Durée : 1'50

30 Ne pars pas — Avec Albin de la Simone et Marie Oppert

Paroles : Timothée de Fombelle (Gallimard Jeunesse) - Musique : Johan Farjot (Contraste Productions) - Interprètes : Marie Oppert et Albin de la Simone, Ensemble Contraste & invités - ℗ Contraste Productions - Durée : 3'06

34 Tous mes rêves chantent — Avec Ben Mazué

Paroles : Timothée de Fombelle (Gallimard Jeunesse) et Ben Mazué (French Flair) - Musique : Guillaume Poncelet (Contraste Productions) - Interprètes : Ben Mazué et tous les artistes, Ensemble Contraste & invités - Avec l'aimable autorisation de Columbia Records - ℗ Contraste Productions - Durée : 4'16

Aria au violon (musique de Sam)

Air repris plusieurs fois dans le conte : Johan Farjot / Contraste Productions / Arnaud Thorette - Interprètes : Arnaud Thorette (violon solo), Ensemble Contraste
℗ Contraste Productions -

Distribution :
Les personnages principaux :
Cécile de France, Georgia
Anny Duperey, le grand rêve
Marie Oppert, la petite Georgia
Albin de la Simone, Sam

Les Rêves :
Christelle Reboul
Marie-Laurence Tartas
Nicolas Marié
Jean-Baptiste Shelmerdine

Les musiciens :
Ensemble Contraste :
Arnaud Thorette, direction artistique
Johan Farjot, direction musicale
Arnaud Thorette et Hugues Borsarello, violon
Maria Mosconi, alto
Gauthier Herrmann, violoncelle
Johan Farjot, piano
Stéphane Logerot, contrebasse

Invités :
Albin de la Simone : guitare basse, orgue Hammond, Helmut, guimbarde, guitare sur *Boum*
François Lasserre : guitares
Raphaël Chassin : batterie et percussions
Guillaume Poncelet : piano et orgue Hammond sur *Tous mes rêves chantent*
La Maîtrise de Paris (direction musicale : Patrick Marco)
composée de : Iris Aléa Reinald, Laure Cazin, Candice Albardier, Éléonore Barrault, Éléonore Jander, Youlan Le Seignoux, Julie Bador).

Auteur : Timothée de Fombelle*
Illustrateur : Benjamin Chaud
Réalisation du CD : Albin de la Simone, Arnaud Thorette, Johan Farjot
Direction artistique du CD : Arnaud Thorette
Composition et choix des chansons : Johan Farjot, Albin de la Simone, Arnaud Thorette, Guillaume Poncelet, Raphaële Lannadère, Mathieu Herzog
Arrangements : Johan Farjot, Albin de la Simone **
Production du CD : Hélène Paillette, Contraste Productions
* Ben Mazué, coauteur de la chanson *Tous mes rêves chantent*
** Guillaume Poncelet pour *Tous mes rêves chantent*

Enregistré et mixé par Jean-Baptiste Brunhes aux studios Ferber et Orgeville, Paris
Enregistrement de la voix de Cécile de France par Bruno Ralle, Studio Baloo, Cinqueux
Sounddesign et montage voix : Aude Baudassé, Le Bruit court, St Denis
Mastering : Vincent de Baast, SonarStudios, Bruxelles

Georgia *est une formidable aventure collective et solidaire. Merci à toutes les personnes sans lesquelles* Georgia *n'aurait jamais pu voir le jour : Anny Duperey, François-Xavier Deler, Fatouma Belarbi et l'association SOS Villages d'Enfants, Albin de la Simone et Johan Farjot, tous les artistes, ingénieurs du son, monteurs, et l'équipe de production qui ont rêvé à nos côtés. Un remerciement spécial à Virginie Petit, Virginie Aussiètre, Emmanuelle Segonds, Alix Turrettini, Julie Serusclat et Damien Fenard.*

LIVRE
Photographie de Cécile de France :
© Ben Dauchez / Studio Charlette
Gallimard Jeunesse Musique : Paule du Bouchet
Édition : Claire Babin
Direction artistique : Élisabeth Cohat
Graphisme : Marguerite Courtieu

ISBN : 978-2-07-060147-9

Premier dépôt légal : novembre 2016
Dépôt légal : janvier 2018
Numéro d'édition : 331872
Imprimé par Canale en Roumanie
Loi n° 49-956 du 16 juillet 1949
sur les publications destinées à la jeunesse